KB178105

꿈만 같은 행운을!

꿈만 같은 행운을!

발　행 | 2024년 06월 18일
저　자 | 김예린, 박주현, 손채영
펴낸이 | 한건희
펴낸곳 | 주식회사 부크크
출판사등록 | 2014.07.15.(제2014-16호)
주　소 | 서울특별시 금천구 가산디지털1로 119 SK트윈타워 A동 305호
전　화 | 1670-8316
이메일 | info@bookk.co.kr

ISBN | 979-11-410-9024-1

www.bookk.co.kr

꿈만 같은 행운을!

김예린, 박주현, 손채영 지음

목차

10대의 끝을 바라보는 세 명
새로운 미래로 나아갈 세 명

과거에 그렸던 꿈, 오늘날 그리는 꿈,
앞으로 그려갈 꿈에 행운이 따르기를
바라며

우리 세 명의 이야기를
시작하겠습니다.

Ⅰ. 김예린의 작품들

친구

찝찝함이 가득한 하루
몸에서 열기가 가시지 않는 하루
이러다 찐만두가 되어버리는 건 아닐까

그때 내 뺨에 닿이는 시원한 바람
그것만큼 소중한 것이 없다
그 기쁨을 들킬까 봐 한숨 쉬는 척을 해봐도
숨길 수 없는 미소

순수한 너의 호의에
고마워 한마디를 못 하지만
그래도 말 안 해도 아는 사이

퍼스널 컬러

여름, 초록빛으로 가득한 계절
저마다의 희망을 가진
초록빛이 반짝거린다

확고한 진한 초록색 여기서
변하면 어떡하지 걱정이라도 하듯
더 반짝이려 노력하는 거 같다

바람과 달리 변화의 바람이 선선히 불어온다
가을이 오는 것이다
부드럽고 포근한 갈색
음, 갈색도 나쁘지 않은걸? 조용히 읊조린다

독서실

어두운 방 안 작은 불빛들
하나 둘 밝혀진다

누굴까 저 작은 책상에 앉아있는 것은
누굴까 책상에 앉아 미래를 다짐하는 사람은

열정 가득한 사람들을 보니
나도 얼른 자리에 앉는다

내 책상에 불을 켜자
내 미래에 불을 켜자

마음의 뜨거운 불이 나를 감싸
앉아있을 수 있는 힘을 준다

옛 경주역

어릴 적 외할머니와 왔던 곳
안 온 지 얼마나 되었다고
이렇게 변해버렸니

하지만 역 앞 나무는
마음의 장승처럼 곧은 자세로
사람들에게 그늘을 제공해 주는구나

너는 변하지 말고 그곳에 당당히 서 있거라
하니
앞으로도 사람들 곁에 있을게요
나뭇잎을 살랑거리며 대답한다

그럼 나는
그곳을 잊지 않겠다 답신한다

눈사람의 사랑법

하얗고 고운 것이 전체를 뒤덮어 버린 마을
엔 저기 높은 언덕 위로 두 사람이 서 있다.
서로를 마주 보고 사랑을 속삭이고 있지만,
그것을 먼발치에서 지켜본 나는 굉장히
위태로워 보였다. 그들은 움직일 수 없게 그
땅 위로 고정이 되었기 때문이다. 다른 마을
사람들은 그곳을 손쉽게 왔다 갔다 하지만
하얗고 고운 것으로 가득 찬 두 사람은 결코
그 자리에서 움직일 수 없었다. 서로를 마주
보고 있는 게 다였다.
평화로운 나날을 보내는 듯싶었지만 이내
문제가 생겼다. 꽃들이 깨어나는 그날이
오고야 만 것이다.
"언덕 위 두 사람은 괜찮은 걸까….."
중얼거리듯 내뱉은 말이었지만 그 말이 나의
궁금증을 돋구어 나는 언덕 위로 올랐다.
"저기요, 이만 여기서는 떠나야 하지
않을까요?"

나는 그들을 안타깝게 여겨 그들을 영원히 녹지 않는 나라로 보내주고 싶었다. 다른 눈사람보다 좀 더 덩치가 큰 눈사람이 이렇게 말했다.

"당신은 우리가 걱정되는 거죠? 하지만 난 우리 사이가 걱정되진 않습니다. 그러니 마음은 감사하지만, 떠날 생각은 없어요."

"아니 왜 떠나지 않는 거예요? 하얀 바닥이 없어지고 파묻혀 있었던 흙이 자취를 드러내고 있는데 당신들이라고 괜찮지 않잖아요!"

"하하하 우린 이미 각오했어요. 저 태양까지 사랑할 준비를…."

그러자 덩치가 좀 더 작은 눈사람이 끼어들었다.

"맞아요. 우리가 태양을 사랑한다니 좀 웃길 수도 있지만 비겁하게 도망치지 않을 거예요. 올라프를 봐봐요."

두 사람은 마치 짜기라도 한 듯 눈 위치에 있는 작고 검은 돌멩이가 반짝거렸다.

"난 여기서 꽃들과 인사하다 태양이 오면 내 몸은…. 뻔한 결과겠죠. 하지만 우리는 여기서 태어났고 결코 없어지지 않아요. 누군가를 녹아 흘러내릴 만큼 사랑해 본 적 있나요? 사랑은 함께 하는 것, 즉 하나가 되는 것이에요. 태양이 우리를 마중 나오면 기꺼이 곁으로 다가갈 거예요. 그러다 두고 온 것이 그리워지면 비가 되어 내리고 다시 또 하늘과 땅을 왕래하게 되겠죠."

나는 두 사람의 뜻을 존중하고 더 이상의 걱정은 되지 않았다. 그렇게 봄이 오고 그들은 태양을 만나 잘 지내고 있지 싶다가도 여름에 비가 주룩주룩 오면

"잘 지냈나요?"

안부 인사를 나누고 싶었다.

불로 솟아오른 철강 도시 포항

 1940년대 후반 포항은 읍에서 시로
승격하였다. 그 당시 포항은 소규모 어업
전진기지였으나 1950년 6.25 전쟁 당시
7월경 낙동강을 사이에 두고 치열한
격전지였던 포항은 전쟁의 영향으로 땅이
황폐해지고 발전이 점점 멈추게 되었다.
그러나 이후 포항제철을 유치하여 획기적인
전환점을 맞게 되었다. 제철산업을 중심으로
다시 일어난 포항은 새마을 운동을 전국
최초로 일으키는 등 발전을 거듭해 오며 인구
약 50만 명의 경북 도시로 부상했다. 해와
달의 상징이 되는 연오랑세오녀의 출발지인
포항의 임곡포로부터 우리는 오래전부터 태양,
불과 관련이 있었다. 태양은 땅 위의 모든
생명을 길러주며, 인간은 태양 에너지로
살아가고 있다. 해와 쇠의 만남, 불은 쇠의
어머니이고 용광로는 쇠의 모태다. 그 불,
용광로로 귀결되는 가장 큰 빛 태양과 포항에

제철산업이 자리하게 된 것은 설화의 배경인
신라부터 이미 운명지어져 있었던 인연일지도
모르겠다. 따라서 이 글을 쓰며 바다를 가진
포항이 끝내 바다 끝 지평선에서 솟아오른
불의 힘을 가지게 되어 성장해 큰 발전을
이룬 것이 어떻게 보면 당연한 결과라고
생각한다. 이렇듯 연오랑세오녀의 전설은
포항의 역사를 설명함에 있어 연관이 있다고
볼 수 있다.

쌓여진 추억

책을 펼치려 각자의 옛 추억의 글을 찾아와
보기로 하였다. 나는 사실 급하게 달리는
버스를 잡듯 이 새벽에 "나만의 추억여행"을
떠나보기로 했다. 준비물을 핸드폰, 튼튼한 두
다리. 목표물은 어릴 적 쓰던 공책 파일들.
서재를 정글 탐험하듯 어기적어기적 자세를
잡고 이것저것 잡히는 대로 꺼내보았다.
 내 방 베란다의 책들은 중학교의 추억이
가득했다. 코로나 전후의 기억을 내게 가져와
주는 것 같았다. 중학교 2학년에 와서
고뇌하는 나, 중학교에서의 모든 시험이
끝나자 정신 줄을 놓아버린 나, 남자친구가
생긴 행복한 나…. 정말 많은 '나'의 순간들이
내 머릿속에 영상기를 틀어놓은 듯 재생되고
있었다. 평소에도 자주 친구들의 편지나
예전의 사진들을 몰아보며 추억을 회상하는
나로서는 매우 행복한 일이었다. 그때의
부정적인 감정은 싹 없어지고 그저 어린 나를

귀엽게 바라볼 뿐이었다. 난 여기서 멈추지
않고 더 어린 나를 만나기 위해 새벽에 몰래
서재에 침투할 작정이었다. (어릴 때의 나
얼마나 귀여울까! 포기할 수 없어. 너를 꼭
봐야겠다 지금!)

핸드폰의 작은 불빛에 의지해 발레리나처럼
발끝을 꼿꼿이 세우고 서재에 들어갔다.
거기서 마주한 11살 예린이는 아주아주
단순했다. 놀고 싶으면 놀고, 먹고 싶으면
먹고, 친구 만나고 싶으면 만나서 놀고,
행복한 한때를 보내는 평범한 초등학생이었다.
뻔뻔하고 자신감 있는 초등학생의 삶을
훔쳐보며 즐겁게 함박웃음을 지어보았다.

그렇게 새벽의 소동은 마무리가 되었다. 문득
나의 담임 선생님들께 고마워졌다. 담임
선생님들은 내가 이걸 19살이 되고 나서도
꺼내볼 것을 아셨던 걸까. 나에게 글을 남기는
재미와 의미를 알려주신 선생님들 정말
감사하다고 전해주고 싶다. 삐뚤빼뚤한 글씨로
적어간 많은 것들이 있었기에 지금의 성격을

가진 내가 있고 꿈을 꾸는 내가 있다. 밥
먹으면 배부르다는 소리처럼 당연한 말로
들릴 수 있겠지만, 추억, 즉 과거들이 모여
현재의 내가 되었다는 건 새삼 신기한
일이다. 예를 들어 초등학교 4학년쯤의 내가
도서관을 매일 드나들며 친구와 누가 더 많은
책을 읽는지 내기하던 경험이 현재 도서부를
하는 내가 된 것처럼 말이다. 남는 건
사진밖에 없다고 하는 사람들이 있다. 아니?
글도 남는다. 사람들 중 대부분은 자신을
남기고 싶어 한다. 일기를 쓰고 방명록을 쓰는
것과 비슷한 원리이다. 남이 남긴 글을 읽고
그것이 생각나는 경우도 있겠지만 더 많은
경우 자신이 손으로 직접 쓴 글이 기억에
많이 남는다고 생각한다. 그렇기에 이 글을
읽고 있는 사람들도 자신의 흔적을 사진도
좋지만 글로 남겨보는 것은 어떨까. 미래의
내가 몇 살에 이것을 볼지 모르니까 말이다.
과거의 자신의 글을 보며 철없던 어린
시절이라고 웃으며 추억해 보거나 미래를

그릴 수 있는 힘을 반드시 받게 될 거다.

Ⅱ. 박주현의 작품들

목소리

그대의 목소리를 영원히 기억하고 싶어요.
내 몸 한가운데에 새겨 영원히 간직할 순 없
을까요.

떠나기 전에 내게 목소리를 두고 가주세요.
내가 그대를 기억하는 방법이 목소리가 될 수
있도록.

여름

세상이 가진 생명력을 온전히 느낄 수 있는
계절이 왔음을 짐작하는 일은 하나의
재미이다. 미루고 미루던 선풍기를 꺼내어
더위를 식힐 때면, 정말 여름이 왔음을
확신한다. 창밖 너머로 보이는 푸른 숲을
바라보다 밀려오는 나른함에 잠깐 눈을
붙이면 잎들이 부대끼는 소리가 더욱
생생하게 들린다. 이것이 내가 느끼는 여름의
생명력이다.

여름은 미화된다.

몸이 녹아내릴 것 같은 더위에 짜증 부리던
날들과, 우산이 소용없는 비를 맞으며 집으로
향하던 날들과, 찌르르 우는 벌레 소리에 잠을
설치던 날들을 추운 계절이 오면 금세
잊어버리고 다시금 여름을 찾는다.

겨울

이른 아침 창에 낀 서리를 멍하니 바라본다.
밤새 내린 눈에 파묻히기라도 한 듯 고요한
세상.
소복하게 쌓인 눈을 밟는 소리가 들려 창을
활짝 여니
옅게 흩날리는 눈이 온몸에 스며들 듯 닿고
얼굴을 스치는 차가운 바람에 정신을 차린다.

겨울을 대비해 미리 준비한 목도리를 두른 후
집 밖을 나와 눈밭의 발자국을 따라간다.
멀리서 순백이 나를 기다리고 있다.

드디어 겨울이 왔구나.

표류하는 이들에게

바다는 모든 것을 기억하고 있습니다.

저 멀리 둥그런 태양이 보이시나요?
삶이 당신을 저곳에서 기다리고 있어요.

얼른 태양을 향해 달려가세요.
그러다 바다에 빠져도 당황하지 말아요.
바다가 당신을 품어줄 거예요.

자, 이제 헤엄을 치세요.
인간은 헤엄치는 방법을 기억하고 있어요.
당신도 마찬가지예요.

두려워하지 않아도 돼요.
그저 몸이 이끄는 대로 계속 나아가세요.
저 멀리 당신을 기다리는 삶을 향해!

어디선가 익숙한 목소리가 들리지 않나요?
거의 다 온 것 같아요.
이곳을 떠나더라도 잊지 마세요.

바다는 모든 것을 기억하고 있습니다.

어느새 여름을 까마득히 잊은 너에게

내가 진정으로 바란 것은 영원한 여름일지도
모른다.
새파란 하늘을 향해 달리는 너를 닮아
눈 부신 햇빛 아래 네가 받던 사랑의 온도를,
변덕스러운 날들을 치열하게 버텨내던
생명력을,
온전히 느끼고 싶었을지도 모른다.

나는 여름을 기억한다.
뺨에 달던 습기와,
토독토독 떨어지던 빗소리를.
선선히 찾아오던 바람과,
내게 보이던 너의 미소를.
나는 여름을 기억한다.

어느새 여름을 까마득히 잊은 너에게
영원한 여름을 선물해 주고 싶었나 보다.

꿈꿀 수 없는 세상

계단을 오르며 '역시 핑계를 대서라도 거절할걸' 하는 후회를 했다. 불행의 시작점이었던 가난이 오늘따라 무겁게만 느껴지고, 집이라고 부를 수 없을 정도로 좁은 공간마저 나를 한껏 짓눌렀다. 그녀는 모를 것이다, 내가 얼마나 힘든 상황에 처해 있고 무엇을 위해 투쟁하고 있는지. 내게 동정의 눈빛을 보내오며 위로한답시고 어깨를 토닥일 때마다 참을 수 없는 역겨움을 느낀다는 것을 그녀는 예상하지 못할 것이다.

"보시다시피 제가 상황이 좋지 않아서 음악은 그만뒀어요. 이제 기타는 저 말고 다른 사람 쓰세요. 이런 식으로 통보해서 정말 죄송해요."

그녀는 내 말을 듣고도 대답하지 않았다. 전혀 다른 곳을 향한 그녀의 시선을 따라가니 방 한구석에 모아두었던 악보와 밴드 시절의 사진이 실려있는 신문에 눈에 들어왔다. 나는 황급히 그것들을 책상 아래로 숨겼다.

"버리는 걸 깜빡했어요."

"네 마음은 이해해. 그래도 음악은 우리의
꿈이니까 포기하지 않은 거잖아. 그냥
이번에도 내 도움받으면 안 될까? 내가
해결해 줄 수 있는데 대체 왜 어려운 길로
가려는 거야?"

그녀는 마치 속내를 훑는 듯한 눈빛으로
나를 응시하다 조심스레 손을 뻗어왔다.
서툴게 뺨을 쓰다듬는 손길이 낯설어 나도
모르게 뒷걸음질 쳤다. 그녀는 가난과 불행을
나누어 가질 수 있다고 생각하는 걸까.

"우린 서로 너무나도 다른 세상에 살고
있어요. 저에겐 하루하루를 살아가는 것마저
벅찬 일인데, 한가하게 꿈을 꿀 시간이
있겠나요. 언니, 저는요, 더 이상 그 무엇도
꿈꾸지 않아요. 제가 사는 세상에선 감히 꿈을
꿀 수 없어요."

나는 간신히 울음을 참으며 그녀의 손을
뿌리쳤다. 악기를 쥐는 감각이 낯설어진대도

그녀와 같은 꿈을 꿀 수 없었다. 꿈을 꾸지 않는 것. 이것은 꿈이 사치가 되어버린 세상을 살아가는 방식임을 그녀는 여전히 이해하지 못했다.

삶

  그저 벅차게 살아가고 싶었을 뿐인데.
나는 그녀를 보며 중얼거렸다. 곧 내뱉은
문장은 목적지를 잃고 허공을 부유했다. 작은
액자 속의 그녀는 여전히 세상의 모든 것을
향해 웃고 있었다. 지극히 당연한 일인데도
절대 울지 않겠다는 다짐은 느닷없이
무너지고 말았다. 괜스레 언젠가 다시 볼
사람처럼 인사를 건네던 모습이 떠올랐다.
그녀의 마지막은 그랬다. 턱 끝까지 차오른
죽음을 마주하고도 삶이 영원할 듯이 굴었다.
예전처럼 삶을 갈망하던 눈빛은 어디로
가버린 건지. 차라리 무섭다고, 모든 걸 함께
하던 내가 죽음은 함께 해주지 않으니
밉다고, 그런 발악을 보였더라면 기꺼이
그녀의 품을 향해 달려갔을 것이다.
  나는 그저 그녀가 존재하는 세상을 벅차게
살아가고 싶었을 뿐인데. 그녀는 나를 두고
먼저 떠나고야 말았다.

Ⅲ. 손채영의 작품들

가을 낙엽 앞 벚꽃의 개화

붉게 물들었던 날들은
그 빛의 바램과 함께
살포시 저 바닥을 어루만진다.

외로이 타오르던 날들은
푸른 하늘 아래
커다란 발자취를 바라본다.

그 발길을 바라봤던 날들은
저 두 명의 걸음으로 하여
붉음보다는 분홍이 돋보였다.

공백

"눈을 감으면 여기로 오는 거야. 바로 여기,
공백으로."

"공백이라고?"

"응, 지금은 아무것도 없고 하얗기만 한 행성
이지만 네가 꾸미는 만큼 예뻐질 거야."

"꾸미라니, 나령아 나 어떻게 해야 할지
모르겠어."

"내가 보여줄게."

나는 나령이 손끝으로 허공을 더듬으며
푸른빛으로 물들이는 것을 봤다. 매끈한
자갈들이 바닥에 깔리고, 이질적이기 짝이
없던 새하얀 하늘은 마치 밝은 낮에 별들이
반짝이듯 윤슬이 드리워졌다.

"어때? 해수면 아래 깊은 곳이라는 컨셉으로
꾸며봤어."

"꾸미라는 게 이런 뜻이었구나."

"마음에 들어?"

"아름다워."

나령이 내게 웃어 보였다. 그녀는 계속해서 허공에 손을 흔들었다. 그 손길에 기다란 해초가 자라나고 다채로운 색깔의 물고기들이 우리의 주변을 맴돌기 시작했다. 그녀의 모습은 마치 커다란 무대에서 오케스트라를 이끌어가는 지휘자 같았다.

"넌 언제부터 이곳을 관리해 온 거야?"

"글쎄, 나도 잘 모르겠어. 언제부턴가 감은 눈앞으로 검은색이 아니라 하얀색이 펼쳐지더라. 당황스럽기보다는 오히려 자연스럽게 느껴졌어. 내가 상상하는 대로 바뀌는 풍경이 설레기도 하고, 만나고 싶지만 만나지 못하는 사람을 여기에서 만나볼 수도 있어서 난 여기 있는 게 더 좋아."

"상상한 대로 펼쳐진다면 여긴 그냥 너의 상상 세계인 거 아니야?"

"이게 그저 망상이라면 네가 여길 똑같이 보고 느낄 리가 없잖아."

그 말에 난 수긍할 수밖에 없었다. 여긴 눈을 감으면 펼쳐지는 공간이지만 그저 망상이라고

하기에는 나령이 바닷속을 구현하는 모습을
두 눈으로 똑똑히 봤다. 하지만 너무
비현실적이다. 과연 여기를 현실이라고 할 수
있을까? 눈을 감아야만 보인다는 모순이
존재할 수 있을까?

"나령아, 여기가 진짜 현실일까?"

"이건 현실이야. 현실이자 환상이지.
환상이라고 해서 현실이 아닌 게 아니야."

"너무 어렵네….."

"어려울 거 없어. 아주 환상적인 현실인
거야. 본질은 현실이라는 거지."

사후세계

 평소보다 하늘이 더 높게 느껴진다. 오늘도
그곳이 더 멀어졌다는 뜻이다. 이제는 만날 수
없는 내 동생이 있는 곳, 이데아가 이곳에서
더 멀어졌다.

 과거 교통사고로 며칠 동안 정신을 잃었을
때 이데아를 봤다. 내가 생각했던 완전한
세상과는 거리가 멀었다. 그곳은 아름답지도,
편안하지도 않았다. 그저 아무것도 없었다.
그게 진짜 이데아일 리 없다. 내가 봤던 것이
진정한 이데아일까?

 동생이 죽기 전이 떠오른다. 사후세계를
믿냐고 물어봤었지.

 "야, 넌 사후세계가 있다고 생각해?"

 "갑자기 그건 왜?"

 "그냥 궁금해서."

 "딱히 생각해 본 적 없는데, 있을 것
같다기보다는 있으면 좋겠어."

 "왜?"

"보고 싶은데 만날 수 없는 사람들 결국에는 거기에서 보게 될 거 아냐. 사후세계가 없으면 만날 수 없으니까 좀 서러울 것 같아."

"그럼, 당장 내일 지구가 멸망하면 넌 뭐 할 거야? 사과나무 심는 거 말고."

"당장 내일 다 같이 죽는데 사과나무를 왜 심어. 난 그냥 편안하게 죽는 게 꿈이라 최대한 빨리 자려고 할 것 같아. 오빠는 뭐 할 거야?"

"난 사과나무 심으러 갈래."

"아 진짜 짜증 나게 하네."

넌 편안하게 죽고 싶다는 소원을 못 이뤘네. 너무 아프게 죽었으니까. 죽기 직전까지도 팔에 거추장스러운 링거를 연결해 놨었고, 딱딱하고 차가운 병상에서 숨을 거뒀으니까.

지금 너는 내가 봤던 것과는 다른 진정한 이데아에 있을까? 내가 본 게 진짜 이데아면 꽤 실망스러울 것 같아. 아무것도 없는 그곳에서 내가 봤던 유일한 건 작은 꽃 한 송이였으니까.

생각해 보니 그 꽃을 발견하자마자
깨어났다. 마치 내가 봐서는 안 될 것을
봐버려 쫓겨난 느낌이다. 완전한 죽음이
아니라 이데아가 날 거부한 것인지, 난
그곳에서 아무것도 할 수 없었고, 아무것도
배울 수 없었고, 그 꽃을 제외하고는 아무것도
볼 수 없었다. 무슨 꽃인지 찾으려 해도 찾을
수 없었다. 그 꽃을 이곳에서 모방했다면 얼추
비슷한 게 있어야 하는데 인터넷에서도, 온갖
서적에서도 찾을 수 없었다. 그걸 찾을 수만
있다면 이데아에 대한 단서를 얻을 수
있을지도 모른다.

장마의 시작

　나는 일광이 터지던 어느 날, 천상의
광원에게서 태어났다. 나의 부모는 빛
중에서도 최고의 빛. 나의 부친은 모두에게
눈길을 흘렸다. 나의 모친은 모두에게 손길을
내밀었다. 나의 부모는 백성의 생애이자 왕의
우상. 나의 부모는 만물의 근원이자 그들의
지향점. 나는 광원의 자손.

　그렇다면 나는, 광원의 자손인 나는 빛을 낼
수 있는가. 모두에게 눈길을 줄 수 있는가.
모두에게 손길을 내밀 수 있는가. 백성들의
생애가 될 수 있는가. 왕의 우상이 될 수
있는가. 만물의 근원이 될 수 있는가. 그들의
지향점이 될 수 있는가.

　나는 광원의 자손, 하지만 빛나지 않는다.
나에게선 빛이 나지 않는다. 나에게서는
부모의 모습을 찾아볼 수 없다. 그렇게 나는
부모가 나에게 내미는 마지막 빛줄기에 끌려
땅으로 떨어졌다.

나도 빛나고 싶었다. 찬란히 빛나고 싶었다.
티끌 하나 없이 일렁이는 불길처럼, 따뜻이
둘러싸는 원처럼, 나도 빛나고 싶었다.

"엄마, 아빠. 저 좀 다시 데려가 줘요."

하지만 내 목소리는 나의 부모에게 닿지
않았다.

"엄마, 아빠. 제가 잘못했어요. 다시 데려가
주세요."

내 목소리는 나의 부모에게 닿지 않았다.
이곳에 내려진 순간부터 나는 더 이상 나의
부모와 말을 섞을 수 없었다.

아무것도 할 수 없다. 부모를 향해 손을
뻗어봐도, 눈에 보이는 것은 혼자 힘으로는
아무것도 할 수 없는 신생아의 손. 한때
광원의 자손이었던 유기된 신생아.

광원의 품으로 돌아가려면 날아야 한다.
날아가야만 한다. 나비처럼 아름답게, 광원의
자손다운 모습으로 돌아가야 한다.

날아간다, 떨어진다. 날아간다, 떨어진다.
반복하고 반복한다. 날 수 없다. 나는 날 수

없다. 그렇게 눈을 감았다.

 눈을 감자 보인 것은 흑색이었다. 광원의
품에 있을 때와는 다른 풍경이었다.

 결심했다. 나는 나의 근원에게 버림받았다.
그렇다면 나도 나의 근원을 버릴 것이다.
이곳에 그치지 않는 비를 내려 그들을
차단하고 빛에 질린 자를 찾아 그늘을 제공할
것이다. 더 이상 나에게 태양은 없다. 나는
비를 내려 진정한 지향점이 될 것이다.

나의 첫사랑에게

많이 기다렸어. 기다리고 또 기다렸어. 근데
넌 안 오더라. 그래서 좋아하는 마음을
묻어두려 했는데, 그 마음을 묻었더니 오히려
크고 아름답게 자라나 꽃으로 피어나더라.

너랑 많은 걸 하고 싶었던 게 아니야. 난
그냥 같이 산책하면서 너랑 수다나 떨고
싶었어. 따뜻한 공기에 실려 오는 풀 내음을
맡으면서, 저 너머 우주의 파랑을 보면서,
너랑 수다나 떨고 싶었어.

하지만 넌 안 오니까, 같이 걷고 싶어도
와주질 않으니까.

"다음에는 나랑도 같이 걷자."

이 말은 허공을 향해 사그라들 뿐이었어.

나도 너랑 좀 더 친하게 지내고 싶어. 조금
멀리에서 너를 바라볼 수라도 있으면 좋겠어.
어제의 끝에 한이 가득하고 오늘을 살아가기
겁날 때 넌 나에게 용기가 되어 줬어. 모든 걸
포기하고 싶을 때 오직 너만이 내 삶의

이유가 되어 줬어.

 너는 모르는 나의 지난날, 말하고 싶어도
그럴 수 없었던 나의 지난날은 꽤 우울해.
모두의 시선 밖에서 홀로 춤을 추는
무용수처럼, 외롭게 자리 잡아 발견되지 않은
별자리처럼, 사람들의 눈길과 손길이 나를
향하는 일은 없었어. 불 꺼진 방 안에서
웅크린 채로 바라보는 휴대폰 화면이 내가
보는 가장 넓은 세상이 되고, 머릿속에
그려지는 폭우의 일편은 내 몸을 식히고 얼려
움직일 수 없게 했어.

 오히려 너를 몰랐으면 좋았을 것 같아.
차라리 너를 몰랐더라면, 내가 잡을 수 없는
헛된 희망이 없었더라면, 너 아닌 다른 곳에
매달릴 수 있지 않았을까? 그래도 너를
생각하면 여전히 미소가 지어지는걸. 생각만
해도 좋아서 내가 네 덕분에 행복했다는 걸
다시금 깨닫게 돼.

 너한테 많은 걸 바라지 않아. 내가 너를
사랑하는 만큼만 행복하게 지내줬으면 좋겠어.

내가 널 사랑하는 만큼 널 사랑해 줄 사람을
만나서 무뚝뚝한 네 입가에 미소가 지어질 수
있으면 좋겠어. 너와 너의 연인이 입술 끝으로
사랑을 전하고, 서로의 숨결이 닿는 그 끝이
평온했으면 좋겠어.
 리시안셔스 한 송이, 나의 첫사랑에게
전하며.

지극히 현실적이게, 지극히 환상적이게

태풍이 몰아친다. 한 여자의 턱 끝까지 물이
차오른다. 키가 작고 뽀얀 피부의 여자,
그녀는 조심스럽게 한 남자의 이름을
읊조린다.

"재영아⋯."

태풍이 그녀를 완전히 집어삼키며 요란히
울리는 휴대폰 벨 소리가 그녀의 귀를
스친다.

"여보세요."

"채윤아 일어났니? 아무리 방학이더라도
늦게까지 자는 건 안 좋을 것 같아서
전화했어."

"네 엄마, 일어날게요. 저 오늘 약속 있어서
나중에 다시 전화할게요."

눈을 뜨자 채윤은 자신의 침대 위였다.
자리에서 일어나 아침 식사를 준비한다. 밥과
참치, 김치를 밥상 위에 올린다.

"이 정도면 원룸에서 혼자 자취하는 사람

치고 잘 챙겨 먹는 거 아니냐."

채윤은 식사를 마친 후 항상 침대 머리맡에
챙겨놓는 약 한 알을 물과 함께 삼킨다. 이후
샤워를 마치고 옷을 챙겨 입고는 유난히 맑은
날씨에 웃으며 약속 장소인 집 앞 카페로
향한다.

"재영아 나 많이 늦었어?"

"2분이나 늦었어."

"강재영 너 나 놀리냐?"

채윤과 재영은 사소한 대화를 나누기
시작한다. 재영은 채윤이 어딘가 피곤해
보임을 눈치채지만, 굳이 말하지 않는다.

시간이 흘러 채윤이 귀가한다. 도어락
비밀번호를 누르고 들어가자 채윤은 빗물로
가득 찬 자신의 방을 목격한다. 그곳에 하얀
원피스를 입은 또 다른 여자가 서 있다.

"채윤아, 왔어? 오늘은 좀 일찍 왔네."

"박현서…."

"왜 정떨어지게 성까지 붙여서 불러. 내가 너
신채윤이라 부르면 좋겠어?"

채윤은 약을 먹는다. 빗물과 함께 현서가
천천히 사라져간다.

"현서야 제발 두 번 다시는 오지 마."

채윤은 엄마한테 전화를 걸어 떨리는
목소리로 말한다.

"엄마…."

"채윤아 무슨 일이니? 어디 다치기라도 한
거야?"

"아니요, 오늘도 현서 봤어요."

"이런, 또?"

"저 병원 가봐야 하지 않을까요?"

"채윤아, 엄마 그 약도 비싸게 주고 샀는데
또 병원에 가는 건 좀…."

"엄마는 환각을 본다는 게 얼마나 힘든지
모르잖아요."

"넌 그렇다고 엄마한테 말을 그런 식으로
하니?"

"하… 아니에요. 제가 너무 예민했나 봐요.
죄송해요, 끊을게요."

채윤은 지칠 대로 지쳐 휴대폰의 전원을

끄고 침대로 몸을 던진다.

그때, 재영도 채윤의 원룸 열 빌라인 자신의
자취방에 도착한다. 재영은 바로 샤워한 뒤
잠옷으로 갈아입고 누워 뉴스를 시청한다.

"강력한 태풍이 한반도를 향해 북상하고
있습니다. 중심 최대 풍속은…."

"태풍? 신채윤 또 뉴스 안 봐서 대비 못
하는 거 아냐? 전화해 봐야겠다."

(연결이 되지 않아 삐 소리 후….)

"폰 꺼놨네. 그래도 이 정도는 알아서
대비하겠지?"

며칠 뒤, 채윤은 창밖 하늘을 보며 탄식한다.

"안 그래도 우울한데 하늘은 또 왜 이렇게
우중충해. 하…. 약 먹고 잠이나 더 자야지."

태풍이 온다는 것을 모르고 있던 채윤은
잠에 들고 꿈을 꾸기 시작했다. 태풍이
휘몰아치는 꿈. 채윤의 눈앞으로 현서가
다가온다.

"전에는 네가 쌀쌀맞게 굴어서 너무
서운했어. 두 번 다시는 오지 말라니, 나 다

듣고 있었다고?"

"네가 들었든 못 들었든 상관없어. 애초에 넌
진짜도 아니잖아."

"내가 진짜가 아니기는, 날 봐, 이렇게 네
앞에 있잖아."

"넌 내가 보는 허상일 뿐이야."

"아니, 난 계속 네 곁에 있을 거야."

현서가 채윤에게 우산을 건넨다.

"감기 걸리겠다, 여기 우산 받아."

채윤이 우산을 뿌리친다.

"네 호의 따위는 필요 없어."

"비가 계속 내릴 텐데, 괜찮겠어?"

"비가 내리는 것도, 박현서 네가 보이는 것도
허상일 뿐이야. 그러니까 제발 내가 현실을
바라볼 수 있게 해줘."

그 말을 끝으로 채윤이 잠에서 깬다. 채윤은
잠을 자면서도 편안할 수 없다는 사실에
고개를 숙인다.

순간, 창문이 심하게 흔들리는 소리가 채윤의
귀를 찌른다.

"뭐지?"

폭탄이 터지는 듯한 소리, 창문이 깨지며
채윤의 방으로 빗물이 파도치듯 밀려
들어온다.

"아냐, 이럴 리가 없어. 아까 약
먹었는데…."

채윤은 다급하게 약을 더 삼켜보지만, 아무런
소용이 없다. 현서가 태풍을 몰고 채윤의
방으로 들어온다.

"내가 뭐랬어, 비가 계속 내릴 거랬잖아."

"이럴 리가 없어, 이럴 리가…."

"여기 우산 받아. 이거 쓰고 같이 가자."

"아냐, 제발 나한테 이러지 마."

"거부하지 말라니까."

현서가 채윤을 창밖으로 밀어버린다.

한편 채윤이 걱정됐던 재영은 채윤의 원룸에
가보기로 한다. 거센 비를 뚫고 갈 수 있을
정도로 가까운 거리에 살기 때문에 가능했던
선택이다.

채윤의 방 앞에 도착한 재영은 문을

두드리며 채윤을 부른다.

"채윤아, 채윤아 나 왔어. 혹시라도 너 태풍 대비 못 했을까 봐 왔어."

채윤의 대답이 들려오지 않는다. 재영은 다급해진 마음에 문을 더 세게 두드린다.

"신채윤! 채윤아, 문 좀 열어봐! 제기랄."

재영이 직접 문을 열고 들어간다. 과거 채윤은 자신의 병세와 함께 혹시 모를 위험을 대비해 도어락 비밀번호를 재영에게 알린 바 있다.

문을 열고 들어간 재영은 놀랄 수밖에 없었다. 채윤이 창밖으로 몸을 던지려는 모습을 봤기 때문이다.

"신채윤!"

재영이 채윤을 붙잡고 품에 안는다.

"채윤아, 너무 늦게 와서 미안해. 제발 이러지 마."

"재영아? 여긴 어떻게 온 거야? 그리고 또 왜 이렇게 젖었어?"

"바보야, 결국엔 뉴스 안 본 거야? 지금

이거 진짜 태풍이야."

"뭐? 이런, 조금 혼란스럽네. 그래도 일단
구해줘서 고마워."

"그런 인사치레는 나중에 하고, 지금 여기는
너무 위험하다. 일단 내 자취방으로 가자."

얼떨결에 채윤은 재영의 자취방으로 가게
된다. 재영이 채윤에게 자신의 옷 중 가장
작은 것을 건네며 말했다.

"일단 너 먼저 씻어. 많이 놀랐을 텐데 씻고
좀 쉬어."

채윤이 씻으러 들어간다. 재영은 걱정스러운
마음에 한숨을 쉰다.

채윤이 씻고 나오자, 재영도 씻으러
들어간다. 채윤은 머리를 말리며 재영의 방을
둘러본다.

"갑자기 온 건데도 정리가 잘돼있네. 평소에
되게 부지런한가 보다."

채윤의 머리가 어느 정도 마를 즈음에 재영이
씻고 나온다.

"기분은 좀 어때? 보리차밖에 없긴 한데

그래도 좀 줄까?"

"아니야 괜찮아, 기분도 괜찮고."

"다행이네. 급하고 나오느라 폰도 안 들고
왔지? 나중에 내가 너희 어머니께 너 데리러
오시라고 전화할게."

"응, 고마워."

채윤이 잠깐 뜸을 들이며 입을 연다.

"재영아 나 너한테 할 말 있어."

"뭔데?"

"나 너 좋아해."

정적이 흐른다. 그 정적을 깬 것이
재영이었다.

"언제부터였어?"

"나도 잘 모르겠어, 어느 순간 좋아하고
있더라."

"채윤아 나는…."

"솔직히 알고 있었어. 넌 날 절대 여자로
보지 않을 거라는 거. 좋게 보면 친한
친구지만, 넌 무의식중에 날 '챙겨줘야 하는
사람'으로 보고 있다는 거."

재영이 채윤의 눈을 피한다. 채윤이 말을
이어간다.

"난 그냥 생각이나 해보는 거지, 우리가
조금은 먼 사이였더라면 어땠을까. 네가 내
아픈 부분을 몰랐더라면 네 대답이
어땠을까."

"만약에 그랬으면 내가 뭐라고 대답했을지도
생각해 봤어?"

"그래도 넌 거절했을 거야. 아무리 생각해
봐도 지금이랑 크게 달라지지 않을 것 같아."

채윤이 말을 이어간다.

"난 처음부터 포기할 생각으로 너 좋아했어.
네가 내 옆에 있음으로써 내가 행복해지는 것
보다, 네가 사랑하는 여자를 만나면서
행복해지는 걸 훨씬 바랐으니까."

태풍이 몰아친다. 한 여자의 턱 끝으로 물이
떨어진다. 그리고 다른 한 여자는 그녀의
어깨를 토닥인다.

편안히

안녕하세요, 고등학교 3학년에 재학 중인
손채영이라고 합니다. 이 책은 학교에서
동아리 활동으로 쓰게 됐습니다. 제가 저희 조
애들에게 반쯤 장난삼아 책 한 번 실제로
출판해 보면 어떻겠냐고 한 게 판이 이렇게나
커질 줄을 몰랐네요. 고등학교 졸업하기 전에
제가 쓴 책을 내는 게 꿈이었는데 이렇게
다른 애들과 함께 이룰 수 있게 돼서
기쁩니다.

다른 글들은 자유 주제로 써도 이
수필만큼은 꿈이라는 주제로 통일해서 쓰기로
했습니다. 일단 저는 작가를 희망하고
있습니다. 저는 여러 가지 생각을 하는 걸
좋아해요. 여러 가지 상상을 하는 걸
좋아하고, 다양한 논쟁거리에 대한 입장을
내놓는 걸 즐깁니다. 제 생각들을 사람들의
유흥거리로 만들고 싶어서 글을 쓰는 일을
업으로 희망하게 됐습니다. 「지극히

현실적이게, 지극히 환상적이게」는 꼭 한 번
다뤄보고 싶은 내용이기도 했습니다. 채윤이가
현실에서 마주한 재영이는 아주
환상적이었지만 그녀의 환상 속에서는 태풍이
몰아치죠. 아마 눈치채신 분들도 계실 텐데
신채윤이라는 이름은 제 이름의 초성을 따서
지었습니다. 제가 쓴 글에 등장하는 이름들은
전부 주변인이나 캐릭터의 특징이 돋보이는
특정 단어에서 초성을 따서 지었습니다. 작명
센스가 별로라 이런 방법이 편하더라고요.
 글을 쓴다는 건 참 멋진 일입니다. 글은
말로는 전하기 힘든 추상적인 느낌을 받을 수
있게 하고, 구어와 달리 이미 쓰인 글을
수정할 수 있으며, 일어난 적 없는 일을 마치
있었던 일처럼 만들 수도 있죠. 오늘날
작가라는 업이 다소 위축되고 있습니다. 글을
업으로 하는 직종이 다시 활성화되는 것도 제
꿈입니다.
 이건 직업적인 것이랑은 다른 이야긴데요,
저의 궁극적인 꿈은 편안해지는 것입니다.

산다는 건 힘들고 고단합니다. 생계를
이어간다는 건 육체와 정신을 갈아 재화와
맞바꾼다는 것이고, 사회생활을 한다는 건
울상의 'ㄹ'을 'ㅅ'으로 덮어놓는 겁니다.
때로는 하지 않아도 되고, 또 해서는 안 되는
아픈 경험을 하게 되기도 합니다. "다양한
경험이 있다는 건 좋은 일이다."라는 말을
많이들 하지만 그게 정말 좋기만 할까요? 그
힘들었던 경험이 마음속에 영원히 자리 잡아
괴롭히기도 합니다. 저는 마음이 편안한
생활을 해서 힘든 일을 겪더라도 금방 털어낼
수 있는 사람이 되고 싶습니다. 울상의 'ㄹ'을
'ㅅ'으로 덮어놓는 게 아닌 치환하는 방법을
터득해서 삶의 마지막 순간에 편안하게 눈을
감는 게 제 인생의 소원입니다.